KATJA
NÄHFROSCH

MASKEN Nähen!

MUND-NASEN-SCHUTZ

EINFACH SELBST GEMACHT

AUCH OHNE NÄHMASCHINE

EIN BUCH DER
EDITION MICHAEL FISCHER

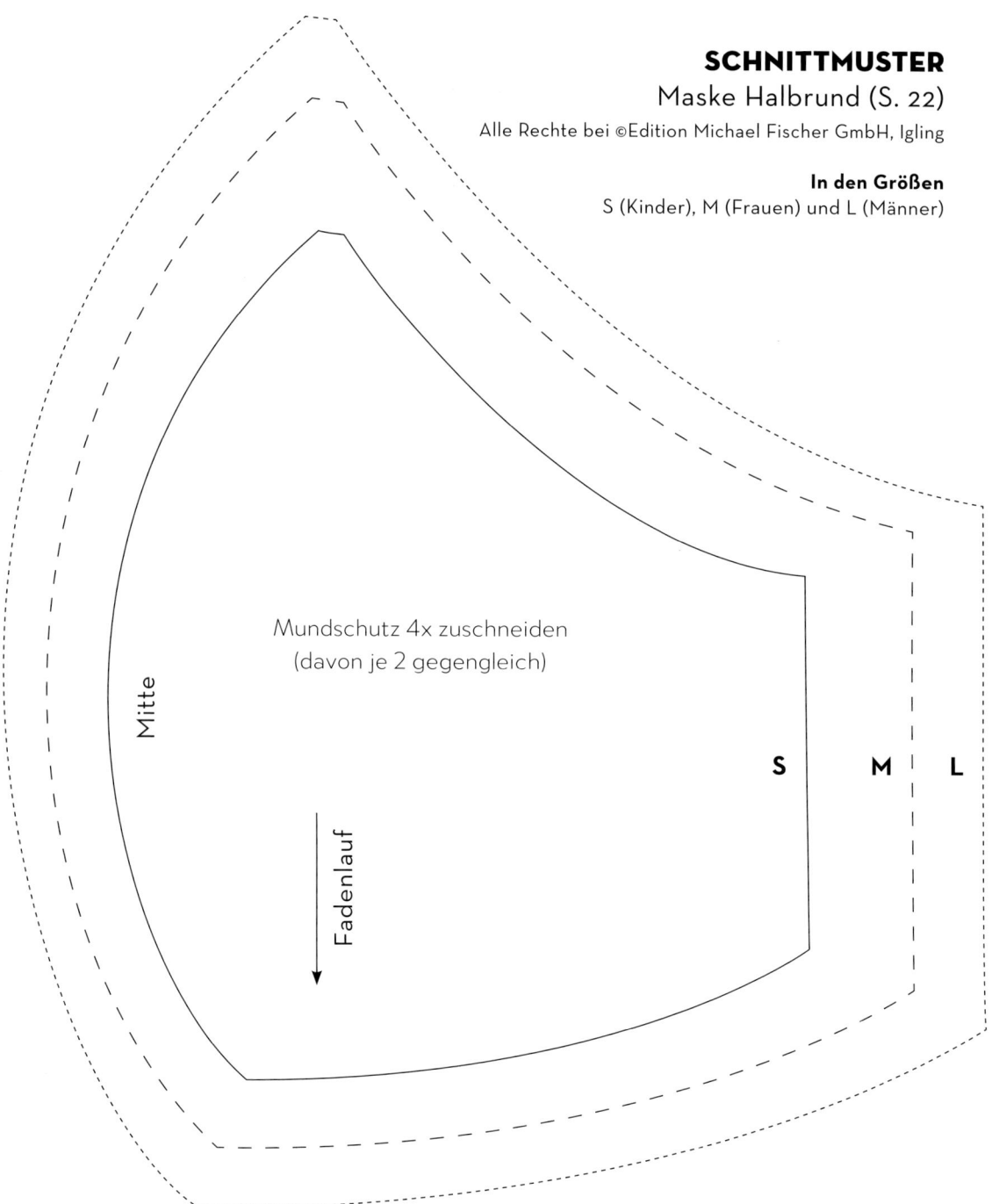

SCHNITTMUSTER
Maske Halbrund (S. 22)
Alle Rechte bei ©Edition Michael Fischer GmbH, Igling

In den Größen
S (Kinder), M (Frauen) und L (Männer)

Mundschutz 4x zuschneiden
(davon je 2 gegengleich)

Mitte

Fadenlauf

S   M   L

Inhalt

SCHNITTMUSTER   2

VORWORT   5

WISSENSWERTES   6

Gut zu wissen: Infektionskrankheiten   6

Corona, Grippe & Erkältung   8

Die 10 wichtigsten Hygienetipps   10

Das richtige Händewaschen   12

Die richtige Handhabung   14

Was ist beim Tragen zu beachten?   16

Pflege-Tipps für Masken   18

Stoffempfehlungen   19

PROJEKTE   22

Maske Halbrund   22

   Nasenbügel einnähen   27

Maske Falten   30

Maske T-Shirt-Ärmel   34

Maske Shirt-Ärmel   38

Maske Sneaker-Socke   42

ÜBER DIE AUTORIN   46

DANKSAGUNG   47

IMPRESSUM   48

MASKEN
vor aller Munde!

Einen Behelf-Mund-Nasen-Schutz selbst zu machen, ist gar nicht schwer. Ob du nun nähen kannst, die Nähmaschine bis jetzt originalverpackt im Keller stand oder du nur mit einer Schere ausgerüstet bist – dieses Buch nimmt dich an die Hand, bis die Maske sicher vor Mund und Nase sitzt.

In diesem Buch findest du neben Informationen rund um selbst gemachte Masken – speziell zur Handhabung und Pflege einer Stoffmaske – auch jede Menge Tipps zu geeigneten Stoffen.

Zwei besonders einfache Masken-Modelle in unterschiedlichen Größen zum Nachnähen stehen dir in diesem Buch bereit. Mit einer einfachen Haushaltsnähmaschine und einigen Stoffresten oder aussortierten Hemden kannst du dir im Handumdrehen deine eigene Maske nähen.

Außerdem findest du hier drei Masken-Modelle, die du aus aussortierten Kleidungsstücken upcyceln kannst. Du brauchst hierfür nur eine Schere und wenige Minuten Zeit, um dein persönliches und nachhaltiges Trend-Accessoire zu zaubern.

Deine

Katja

von Nähfrosch

INFEKTIONSKRANKHEITEN

Sie begegnen uns täglich, so gut wie jeder hatte schon mal unfreiwillig mit ihnen zu tun: Viren und Bakterien. Beide können uns krank machen, und oft sind die Krankheitssymptome, die sie verursachen, sehr ähnlich. Doch behandeln lassen sie sich nicht mit den gleichen Methoden. Was ist der Unterschied zwischen einer viralen und einer bakteriellen Infektion?

Eine Behandlung mit Antibiotika ist bei einer viralen Infektion nicht möglich. Bei einer Erkrankung versucht das Immunsystem den Erreger zu bekämpfen. Entsprechende Impfstoffe können einige Vireninfektionen verhindern, allerdings nicht alle. Zum Beispiel existiert für die saisonale Grippe (Influenza) eine Impfung, die vor allem für Personen aus Risikogruppen (Patienten über 60 Jahre und/oder mit chronischen Erkrankungen, wie z. B. Herzkrankheiten oder Diabetes mellitus) sinnvoll sein kann.

Zu berücksichtigen ist hierbei, dass sich die Grippeviren jährlich verändern können, mit der Folge, dass der Impfstoff jedes Jahr neu produziert werden muss.

Eine weitere Schwierigkeit stellen neue Viruserkrankungen wie das Ende 2019 ausgebrochene Coronavirus dar. Hierbei handelt es sich um eine Atemwegsinfektion. Das Virus charakterisiert sich durch seine grippeähnlichen Symptome und die Art der Ansteckung. Übertragen wird es über Tröpfcheninfektion; die Inkubationszeit kann zwischen 2 und 14 Tagen liegen. Was sonst über das Virus bekannt ist: Häufig ist der Krankheitsverlauf recht milde. Das Ansteckungsrisiko ist allerdings hoch. Erschwerend kommt hinzu, dass die Erkrankung durch das Virus für Personen, die einer Risikogruppe angehören, also Personen >60 Jahren und Menschen mit Vorerkrankungen, schwerwiegend und sogar tödlich verlaufen kann.

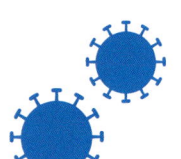

VIREN

DEFINITION

Sie schleusen ihr Erbgut
in die Wirtszellen anderer
Lebewesen ein und
bringen sie dazu, nur
noch Viruspartikel
zu produzieren.

BAKTERIEN

DEFINITION

Sie sind die einfachste
Lebensform auf
unserem Planeten,
vermehren sich im
Organismus, ohne dessen
Zellen zu zerstören.

GEMEINSAMKEITEN

· Kleine Organismen
· Unsichtbar für das menschliche Auge
· Kein wahrnehmbarer Geruch
· Erkennbar durch auftretende Krankheitssymptome

UNTERSCHIEDE

1. Verbreiten sich durch
Übertragung

2. Sind immun gegen
Antibiotika. Ein Impfstoff
mit Virostatika (antiviralen
Medikamenten) kann helfen

3. Benötigen Zellen
anderer Lebewesen um zu
überleben

4. Zwischen 22 und
330 Nanometern groß

UNTERSCHIEDE

1. Vermehren sich
eigenständig

2. Können mit Antibiotika
behandelt werden

3. Sind Lebewesen

4. Bis zu 2 Mikrometer
groß und damit 100 mal
größer als Viren

BEISPIELE

Influenza, Corona,
Erkältung

BEISPIELE

Streptokokken,
Tuberkulose, Keuchhusten

CORONA, GRIPPE & ERKÄLTUNG ...

GRIPPE

GEMEINSAMKEIT: ÜBERTRAGUNGSWEG

Atemwegsinfektionen, die über direkten Kontakt mit Erkrankten oder über Tröpfcheninfektion weitergegeben werden

INKUBATIONSZEIT

Startet schnell

SYMPTOME

Typisch für eine Influenza-Infektion, also eine Grippe, sind neben trockenem Husten und plötzlich einsetzendem, oft hohem Fieber auch ein starkes Krankheitsgefühl sowie Kopf-, Muskel- und Gelenkschmerzen.

ERKÄLTUNG

GEMEINSAMKEIT: ÜBERTRAGUNGSWEG

Atemwegsinfektionen, die über direkten Kontakt mit Erkrankten oder über Tröpfcheninfektion weitergegeben werden

INKUBATIONSZEIT

Verläuft schleichend

SYMPTOME

Oft schmerzt zunächst nur der Hals, der Husten kommt in der Regel erst später dazu. Man fühlt sich zwar krank, aber nicht so vollkommen kraftlos wie bei einer echten Grippe.

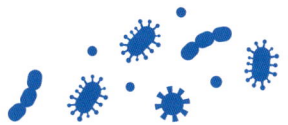

... EINE ÜBERSICHT

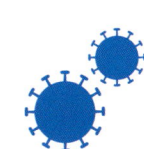

CORONA

GEMEINSAMKEIT: ÜBERTRAGUNGSWEG

Atemwegsinfektionen, die über direkten Kontakt mit Erkrankten oder über Tröpfcheninfektion weitergegeben werden

Letztendlich ist es bei allen Erkrankungen, viral oder bakteriell, notwendig, sich über entsprechende Schutzmaßnahmen zu informieren.

Auf den Seiten 10–17 findest du Informationen darüber, was du tun kannst, um dich und deine Mitmenschen vor Infektionen zu schützen.

INKUBATIONSZEIT

2–14 Tage

SYMPTOME

Häufigstes Symptom mit über 60 % ist die Beeinträchtigung des Geruchs- und Geschmackssinns. Grippeähnliche Symptome, vor allem Fieber, Husten und Atemnot. Es kann zu Atemproblemen bis hin zu einer Lungenentzündung kommen.

BEHANDLUNG

Die Therapie ist bei diesen Krankheiten symptomatisch. Im Grunde kann man nur auf das Immunsystem des Körpers und seine Abwehrreaktion gegen die verschiedenen Erreger vertrauen. Dabei helfen Ruhe, viel Wasser trinken. Bitte Kontakt mit einem Arzt aufnehmen, wenn der Verdacht auf Corona besteht, da sich die Symptome nach 7–10 Tagen verschlechtern können.

Die 10 wichtigsten
HYGIENETIPPS

Viele Erreger wie Viren und Bakterien begegnen uns häufig im Alltag. Einfache Hygienemaßnahmen tragen dazu bei, sich und andere vor ansteckenden Infektionskrankheiten zu schützen.

 **1 REGELMÄSSIG HÄNDEWASCHEN**

- beim nach Hause kommen
- vor und während der Zubereitung von Mahlzeiten
- vor dem Essen
- nach dem Benutzen der Toilette
- nach dem Naseputzen, Husten oder Niesen
- vor und nach dem Kontakt mit Erkrankten
- nach dem Kontakt mit Tieren

 **2 HÄNDE GRÜNDLICH WASCHEN**

- Hände unter fließendes Wasser halten
- von allen Seiten gründlich mit Seife einreiben
- dabei mindestens 20–30 Sekunden Zeit lassen
- unter fließendem Wasser abwaschen
- mit einem sauberen Tuch vollständig abtrocknen

 **3 HÄNDE AUS DEM GESICHT FERNHALTEN**

- mit ungewaschenen Händen nicht an Mund, Augen und Nase fassen

 **4 RICHTIG HUSTEN UND NIESEN**

- beim Husten und Niesen Abstand von anderen halten und wegdrehen
- ein Taschentuch benutzen oder die Armbeuge vor Mund und Nase halten

5 IM KRANKHEITSFALL ABSTAND HALTEN

· zu Hause auskurieren
· auf enge Körperkontakte verzichten, solange man ansteckend ist
· in einem separaten Raum aufhalten und wenn möglich eine getrennte Toilette benutzen
· Essgeschirr oder Handtücher nicht mit anderen gemeinsam benutzen
· Maske tragen

6 WUNDE SCHÜTZEN

· Wunde mit einem Pflaster oder Verband abdecken
· Wunde reinigen und desinfizieren

7 AUF EIN SAUBERES ZUHAUSE ACHTEN

· insbesondere Küche und Bad regelmäßig mit üblichen Haushaltsreinigern säubern
· Putzlappen nach Gebrauch gut trocknen lassen und häufig auswechseln
· Türklinken regelmäßig desinfizieren

8 LEBENSMITTEL HYGIENISCH BEHANDELN

· empfindliche Nahrungsmittel stets gut gekühlt aufbewahren
· Kontakt von rohen Tierprodukten mit roh verzehrten Lebensmitteln vermeiden
· Fleisch auf mindestens 70 °C erhitzen
· Gemüse und Obst gründlich waschen

9 GESCHIRR UND WÄSCHE HEISS WASCHEN

· Ess- und Küchenutensilien mit warmem Wasser und Spülmittel oder in der Spülmaschine reinigen
· Spüllappen und Putztücher, sowie Handtücher, Waschlappen, Bettwäsche, Unterwäsche und Masken bei mindestens 60 °C waschen

10 REGELMÄSSIG LÜFTEN

· geschlossene Räume mehrmals täglich für einige Minuten lüften

Das richtige
HÄNDEWASCHEN

Hände sind die häufigsten Überträger von
Krankheitserregern. Häufiges und vor allem richtiges
Händewaschen kann nachweislich davor schützen.
Im Folgenden eine kleine Anleitung, wie es richtig geht.

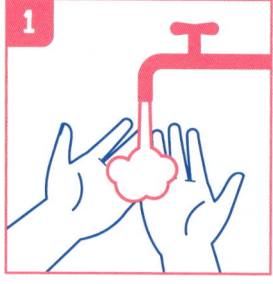

Hände unter fließendes
Wasser halten.

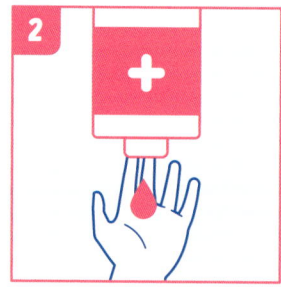

Seife dem Spender
entnehmen.

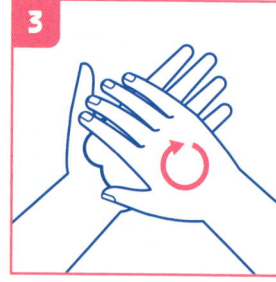

Die Seife in kreisenden
Bewegungen auf den
Handflächen verteilen.

Beide Handrücken mit
Seife einreiben.

Die Fingerzwischenräume
schrubben.

Auch die Fingerknöchel-
und Oberflächen gut ein-
reiben.

Die Daumen säubern.

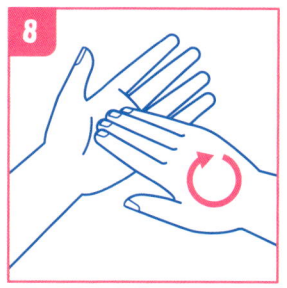

Fingernägel und Finger-
spitzen ebenfalls gut mit
Seife einreiben.

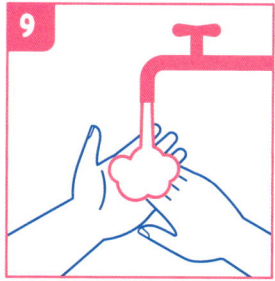

Hände unter fließendem
Wasser gut abspülen.

Mit einem Einmalhand-
tuch gut abtrocknen.

Mit dem Handtuch das
Wasser abdrehen.

Tadaa – Deine Hände
sind sauber!

HANDDESINFEKTIONSMITTEL AUFTRAGEN

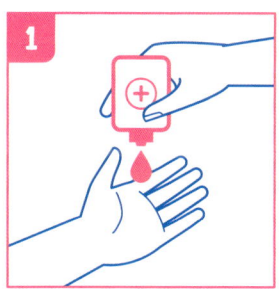

Desinfektionsmittel in
eine Handfläche geben.

Hände aneinander reiben.

Desinfektionsmittel auf
allen Bereichen der Hand
verteilen, bis es trocknet.

Die richtige
HANDHABUNG

WAS BRINGT EINE SELBST GEMACHTE MASKE?

Es handelt sich bei allen selbst gemachten Masken um „einfache Masken" – sogenannter Behelf-Mund-Nasen-Schutz. Diese haben natürlich keine speziellen Filter und sind medizinisch nicht geprüft. Diese Masken minimieren die Ansteckungsgefahr.

FREMDSCHUTZ

Ist jemand unwissentlich erkrankt, kann derjenige einen Mund-Nasen-Schutz tragen. Dieser schützt dann seine Umgebung, weil z. B. beim Niesen weniger Tröpfchen durch die Gegend fliegen. Der beste Schutz für die Umgebung ist allerdings immer noch – Abstand halten!

EIGENSCHUTZ

Ein einfacher Mund-Nasen-Schutz schützt einen gesunden Träger nicht vor Ansteckung. Wenn aber jeder eine Maske trägt, wird auch jeder geschützt. Dann jedoch nicht die medizinischen Mundschutze als Privatperson verwenden, die im medizinischen Bereich gebraucht werden, sondern lieber einen selbst gemachten aus diesem Buch nutzen.

INFO

Das Robert-Koch-Institut (RKI) empfiehlt: „Das Tragen der Mund-Nasen-Bedeckung kann ein zusätzlicher Baustein sein, um die Ausbreitungsgeschwindigkeit von COVID-19 in der Bevölkerung zu reduzieren – allerdings nur, wenn weiterhin Abstand (mind. 1,5 Meter) von anderen Personen, Husten- und Niesregeln und eine gute Händehygiene eingehalten werden."

Mehr Informationen findest du auf der Website des RKI (www.rki.de).

SPENDEN

Genähte Behelfsmasken wie die Modelle *Maske Halbrund* und *Maske Falten* aus diesem Buch können gespendet werden, zum Beispiel über die Plattform **remedymatch.io**

HINWEIS

Über RemedyMatch

RemedyMatch wurde im Rahmen des WirVsVirus Hackathons der deutschen Bundesregierung vom 20.–22. März 2020 aus über 1200 Projekten als eines von 20 Gewinnerteams ausgezeichnet. Bereits drei Tage später ging die Plattform am 25. März im Alpha-Stadium live. Mittlerweile arbeitet ein interdisziplinäres Expertenteam aus über 60 Personen ehrenamtlich an der Entwicklung einer skalierbaren Open-Source-Spenden- und Logistikplattform. Hierbei verfolgt RemedyMatch das Ziel, Bestand und Bedarf an medizinischen Schutzartikeln und Behelfsartikeln schnell, unkompliziert und lokal zusammenzuführen und so dabei zu helfen, Versorgungsengpässe während der Covid-19-Krise und darüber hinaus zu überbrücken.

Was ist beim Tragen ZU BEACHTEN?

Damit die selbst gemachten Masken wirklich etwas bringen und nicht zu einem Risiko werden, muss man ein paar Dinge bei der Handhabung beherzigen.

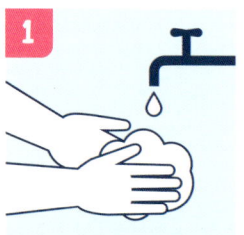

1 Vor dem Aufsetzen der Maske die Hände gründlich mit Seife waschen, ca. 20–30 Sekunden. Sonst könnte es passieren, dassKeime von den Händen auf die Maske gelangen und wir uns so erst recht anstecken! Siehe Anleitung auf Seite 12.

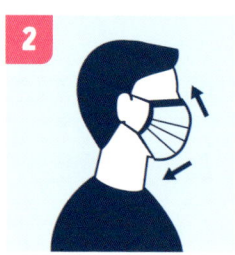

2 Die Maske muss Mund und Nase gut bedecken und fest sitzen. Sie sollte eng anliegen. Nur eine saubere und keimfreie Maske aufsetzen. Vor der ersten Benutzung ist eine selbst gemachte Maske auf jeden Fall zu reinigen.

TIPP

Wir haben alle unterschiedliche Kopfformen, Gesichter und Proportionen. Probiere also am besten verschiedene Maskenformen und/oder -größen aus, um die passende Maske für dich zu finden!

Besonders beim Absetzen der Maske ist Vorsicht geboten. Denn alles, was wir jetzt erfolgreich abgehalten haben, hängt in dieser Maske drin. Daher nur an den Bändern anfassen!

Die Maske selbst nicht anfassen, sondern nur die Bänder. Bitte nicht irgendwo hinlegen oder -hängen!

Spätestens wenn die Maske durchfeuchtet ist, muss sie abgesetzt oder gewechselt werden.

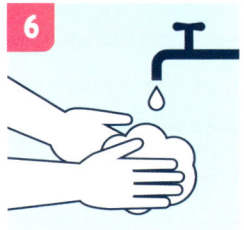

Nach der Benutzung die Hände sehr gründlich mit Seife waschen, ca. 20–30 Sekunden.

Warnhinweis
Die Maske kann vorübergehend in einem sauberen, veschließbaren Plastikbehälter (Plastikbeutel) aufbewahrt oder sofort gewaschen werden. Nur kurze Zeit feucht aufbewahren, da sich sonst Schimmel bilden kann!

Pflege-Tipps
FÜR MASKEN

Hat man es nun geschafft, die Maske korrekt zu tragen und sie richtig abzunehmen, ohne alles zu kontaminieren, wartet auch schon die nächste Herausforderung. Wie bekomme ich nun meine Maske wieder keimfrei? Ich rate von Experimenten dringend ab. Nur weil ein Tipp im Internet kursiert, würde ich mich nicht darauf verlassen.

AUSKOCHEN
Die Maske mindestens 5 Minuten in einem Kochtopf mit kochendem Wasser auskochen.

STOPP

MASKEN NICHT....

- bügeln
- erhitzen mit Backofen oder Mikrowelle
- von Hand waschen
- in die Sonne legen

Stoff EMPFEHLUNGEN

MASKEN SELBER NÄHEN

Mit einer gewöhnlichen Haushaltsnähmaschine und einigen Stoffresten oder aussortierten Hemden lassen sich verschiedene Masken-Modelle ganz einfach selber nähen. Dazu brauchst du keine besonderen Nähkenntnisse, es reicht wenn du den Geradstich und Rückwärtsgang deiner Nähmaschine kennst. Hilfreich sind zudem Schneiderkreide und Stecknadeln oder Stoffklammern. In allen Vorlagen ist eine Nahtzugabe enthalten.

GEEIGNETE STOFFE FÜR GENÄHTE MASKEN

Die Stoffe und Materialien für eine selbst gemachte Maske sollten robust sein, denn sie müssen sehr oft gewaschen werden, bei mindestens 60 °C. Bei vielen Stoffen, die man kaufen kann, wird eine niedrige Temperatur zum Waschen empfohlen wie etwa 30–40 °C. Oft sind diese Stoffe aber auch bei höheren Temperaturen waschbar, nur verlieren sie dann unter Umständen die Farbe. Natürlich müssen die Stoffe für eine Maske vor allem atemdurchlässig sein.

HINWEIS

Achtung, diese Stoffe nicht verwenden! Bitte verwende keinen „B1 Molton". B1 ist eine Brandschutzklasse, das heißt, der Stoff ist mit einer Chemikalie beschichtet, die ihn schwerer brennbar macht. Das hat in unserer Lunge nichts zu suchen. Verwende auch kein Mikrofaser-Tuch oder Handtuch. Beim Waschen lösen sich kleine Partikel – das sogenannte Mikroplastik. Wenn man den Stoff quasi inhaliert, dann landen auch diese Partikel in der Lunge. Musselinstoff ist locker gewebt, für Masken ist aber dicht gewebter Stoff zu bevorzugen.

STOFFEMPFEHLUNGEN

- Molton
- Baumwollköper
- Baumwollfahnentuch
- Baumwollvoile
- Batist
- Popeline

Statt Stoff zu kaufen, kannst du auch ausgediente Hemden und Blusen für genähte Masken verwenden. Auch Stofftaschentücher oder Geschirrtücher eignen sich hervorragend. Aus einem ausgedienten Bettlaken oder Bettwäsche kannst du sehr viele Masken nähen. Und wenn es ein Spannbettlaken ist, dann hast du sogar gleich kochfesten Gummi zum Upcyceln!

HINWEIS

Am besten nur als „kochfest" ausgezeichnetes Gummiband verwenden oder die Maske mit Tunneln an den Seiten nähen. Durch den Tunnel kann ein kaputtes, spröde gewordenes Gummiband immer wieder ausgetauscht werden. Als Alternative zu Gummiband eignet sich Textilgarn, auch Jerseynudel genannt. Dies ist ein ca. 2 cm breiter Streifen aus Jersey und waschbar bei 60 °C.

AUSTAUSCHBARE GUMMIBÄNDER

Die *Maske Halbrund* und die *Maske Falten* kannst du ganz leicht abändern, so dass die Bänder durch einen Tunnel gezogen werden. So kannst du die Bänder ggf. wechseln oder zum Waschen entfernen.

Verlängere dazu, vor dem Zuschneiden, die Seiten der Maske je um ca. 1,5 cm. Statt dann die Bänder anzunähen und die Maske abzusteppen, schlage ca. 1,5 cm an jeder Seite nach hinten um und nähe den umgeschlagenen Stoff fest. So erhältst du einen Tunnel, durch den du ein Band ziehen kannst.

MASKEN UPCYCELN OHNE NÄHEN

Auch wenn du nicht nähen kannst, kannst du dir eine Maske selber machen! Du brauchst nur ein Shirt und eine Schere. Natürlich sind diese nicht so langlebig, aber dafür kannst du dir in wenigen Minuten eine neue machen.

GEEIGNETE UPCYCLING-MATERIALIEN

Die Stoffe und Materialien für eine selbst gemachte Maske sollten robust sein, denn sie müssen sehr oft gewa-  schen werden – bei mindestens 60 °C. Bei vielen Kleidungsstücken wie T-Shirts und Leggings wird eine niedrige Temperatur zum Waschen empfohlen, wie 30 oder

40 °C. Oft sind diese Stoffe aber auch bei höheren Temperaturen waschbar und verlieren nur die Farbe.

Zu Masken upcyceln lassen sich besonders gut einfache Shirts mit kurzen oder langen Ärmeln sowie Leggings aus Jersey, also dem „gewöhnlichen" dehnbaren T-Shirt-Stoff. Am besten geeignet ist Baumwoll-Jersey. Grob gestrickte Waren, beschichtete Stoffe (z.B. Leggings im Lederlook) oder Kleidung mit Aufdrucken, die das Atmen erschweren könnten, sind nicht geeignet. Blusen und Hemden eignen sich für die Upcycling-Masken aus diesem Buch nicht, da diese gewebten Stoffe aufribbeln und nicht offenkantig benutzt werden können.

ATEM-TEST

Es muss unbedingt gewährleistet sein, dass man durch den Stoff atmen kann. Um dies zu testen, einmal den Stoff doppelt falten und vor Mund und Nase legen. Ist das Atmen ohne großen Widerstand möglich? Dann ist das Material geeignet. Gut ist auch, wenn der Stoff schnell wieder trocknet und sich nicht vollsaugt.

Die Atmungsaktivität kann beeinträchtigt werden, wenn man die Maske mit aufgenähten Applikationen verziert, oder ein geplottetes Motiv aus Folie aufbügelt. Verwende stattdessen lieber buntbedruckte – geeignete – Stoffe um eine fröhliche, modische Maske selbst zu machen!

Maske
HALBRUND

Das Schnittmuster findest du auf Seite 2.

Dieses beliebte Masken-Schnittmuster ist besonders leicht zu nähen. Die halbrunde Passform schmiegt sich gut an die Gesichtsform an. Es gibt die Maske in 3 verschiedenen Größen (S für Kinder, M für Frauen, L für Männer).

MATERIAL

→ 2 x: 20 x 20 cm Stoff
→ Bänder

Verschiedene Binde-Möglichkeiten:

→ Gummi hinter den Ohren zum Knoten: 4 einzelne Stücke, je ca. 17 cm lang
→ Gummi als Schlaufe für hinter die Ohren: 2 Stücke, je ca. 17 cm lang
→ Band zum Binden: 4 Stücke je 34 cm lang, z. B. zusammengenähtes Schrägband oder Jerseynudel

ZUSCHNITT

→ 4 x das Maskenteil zuschneiden, dabei müssen je 2 als Paar gegengleich sein
→ 2 x Schlaufen / 4 x Bänder

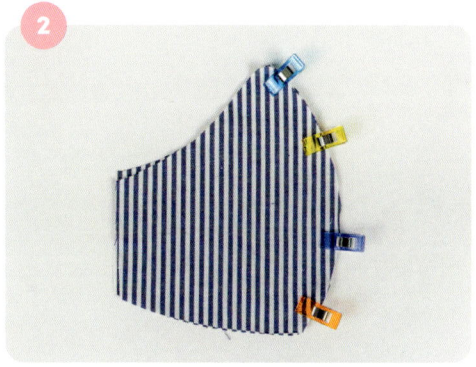

1. Je 2 Teile aufeinanderlegen, die schönen Seiten nach innen.

2. Die Rundung zusammenstecken und nähen.

3. Die Nahtzugabe entlang der Rundung etwas zurückschneiden. Das geht gut mit einer Zackenschere. Alternativ kleine Keile bis zur Naht schneiden. So legt sich die Rundung besser. Nicht in die genähte Naht schneiden.

4. Maskenteile auffalten. Je 2 Zuschnitte mit den schönen Seiten nach innen aufeinanderlegen.

5. Oben und unten zusammenstecken und nähen.

6. Nahtzugabe auch hier wieder zurückschneiden, damit es sich besser legt nach dem Wenden.

7. Durch eine der offenen Seiten die Maske wenden und bügeln.

8. Die Nahtzugaben an den offenen Seiten nach innen einklappen und bügeln.

STOFFE

Besonders gut eignet sich der Masken-Stoff von Lillestoff aus 100% Baumwolle der bereits in der Form des Schnittmusters mit wunderschönen Motiven bedruckt ist.

www.lillestoff.com/naehfrosch-masken

11. Nun ist die Maske fertig! Binde die Bänder paarweise oben und unten hinter dem Kopf, oder verknote die Gummibänder, um sie um die Ohren zu hängen.

9. Je ein Band etwa 1cm weit in eine Ecke einschieben. Willst du eine Gummi-Schlinge für hinter die Ohren nähen, kommt natürlich ein Band an jede Seite. Davon jeweils Anfang und Ende in eine Ecke einschieben, so dass eine Schlaufe entsteht.

10. Rundherum absteppen. Nähe dazu um die ganze Maske herum – knapp an der Kante entlang. Dabei werden die Bänder festnäht. An den Bändern mehrmals vor und zurück drüber nähen, damit sie gut fest sind.

Die Video-Anleitung findest du bei Youtube auf dem Nähfrosch-Kanal oder direkt über diesen **QR-Code**:

Nasenbügel einmähen

Unsere Gesichter sind verschieden, deshalb sitzt auch jedes Masken-Modell anders. Mit Draht oder einem Nasenbügel können genähte Masken besser sitzen. Gerade Brillenträger profitieren von einem ein-genähten Nasenbügel, der verhindert, dass die Brille ständig beschlägt. Am besten probierst du es aus. Einen Nasenbügel kannst du in die Modelle *Maske Halbrund* und *Maske Falten* einnähen.

Inzwischen kursieren viele tolle Ideen, was man alles als „Draht" in den genähten Masken verwenden kann. Da werden die Metallteile aus Ordnern verwendet, Verschlussklipse von Gefrierbeutel, Pfeiffen-putzer, Blumendraht und noch vieles mehr. Wichtig ist vor allem eines: Wenn du die Verstärkung mitwaschen willst, dann muss sie rostfrei sein! Und natürlich sollte die Verstärkung so geformt werden, dass du dich damit nicht verletzt.

Gut funktionieren die Metallbügel aus Aluminium. Diese sind rostfrei, flach, die Enden sind gerundet, sie lassen sich gut biegen und können bis 80 °C mitgewaschen werden.

So geht's

1. Nähe die Maske soweit fertig, dass sie gewendet (und gebügelt) vor dir liegt, die Seiten aber noch offen sind. (Schritt 7 abgeschlossen)

2. Steppe an der Oberkante der Maske von der Mitte ausgehend zu beiden Seiten etwa 6 cm den oberen Rand ab. Ich habe mich bewusst dazu entschieden, nicht die ganze obere Kante bis zu den Seiten bereits jetzt abzusteppen, da es so einfacher mit den Bändern später ist.

3. Nähe parallel dazu eine weitere Naht. Wenn du die gleichen Bügel verwendest wie ich, dann sollten die beiden Nähte etwa einen Abstand von 0,7–1 cm haben. Dann passt der Bügel mit seinen 0,5 cm Breite optimal hinein.

4. Nun kannst du über die offene Seite den Bügel in seinen Tunnel zwischen den beiden Nähten einschieben.

Die Bügel bekommst du hier:
www.nasen-buegel.de
Mit diesem Code bekommst du
5%-Rabatt: **nähfrosch**
Der Bügel oder Draht wird
immer auf die gleiche Weise
eingenäht. Hier anhand des
Beispiels *Maske Halbrund*, es
funktioniert aber genauso auch
mit der *Maske Falten*.

5. Nun wird der Bügel „eingeschlossen".
Dazu nähe den Tunnel links und rechts
neben dem Bügel mit ein paar Stichen
zu. Nicht zu knapp, der Bügel sollte
schon ein paar Millimeter Spiel haben
und nicht auf Spannung eingenäht sein.

6. Jetzt kannst du die Maske wie gewohnt
fertigstellen. Steppe sie also rundherum knapp an der Kante ab, und be-
festige dabei die Bänder. Bzw. beim
gefalteten Modell lege nun die Falten
und steppe dann rundherum ab.

Maske FALTEN

Diese Maske kannst du aus zwei einfachen Rechtecken nähen. Mit ein paar Handgriffen werden Falten gelegt, die im getragenen Zustand der Nase genug Raum verschaffen. Und das Beste: Kein Einfassen mit Schrägband nötig! Es gibt die Maske in 3 verschiedenen Größen (S für Kinder, M für Frauen, L für Männer).

MATERIAL

→ 2 x: 16 x 21 cm (Größe S), 18 x 24 cm (Größe M) oder 20 x 27 cm (Größe L) Stoff
→ Bänder

Verschiedene Binde-Möglichkeiten:
→ Gummi hinter den Ohren zum Knoten: 4 einzelne Stücke, je ca. 17 cm lang
→ Gummi als Schlaufe für hinter die Ohren: 2 Stücke, je ca. 17 cm lang
→ Band zum Binden: 4 Stücke je 34 cm lang, z. B. zusammengenähtes Schrägband oder Jerseynudel

ZUSCHNITT

→ 2 x Rechtecke
→ 2 x Schlaufen / 4 x Bänder

So geht's

1

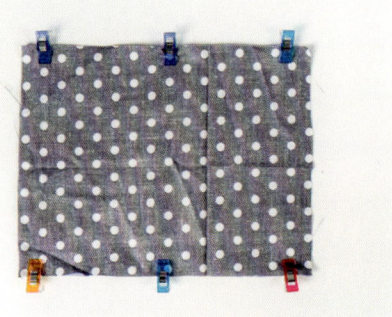

3

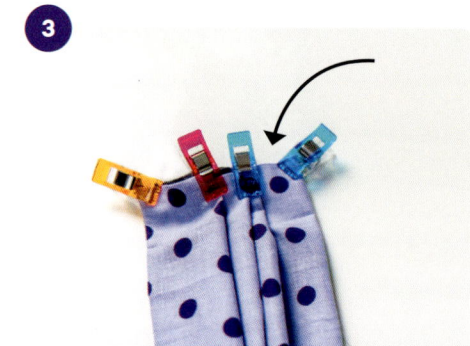

2

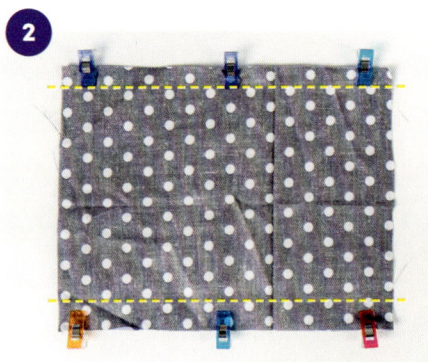

4

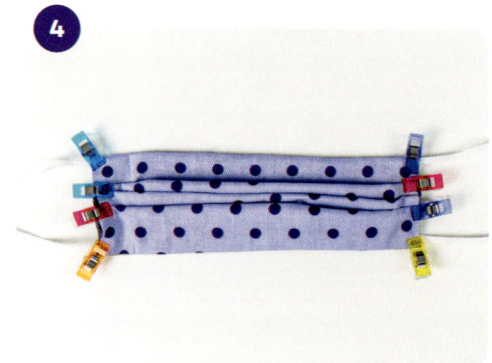

1. Lege die Stoffstücke aufeinander. Die schönen Seiten zeigen dabei zueinander, also rechts auf rechts.

2. Stecke und nähe die langen Kanten zusammen.

3. Wende dein Nähstück, so dass nun die schöne Seite außen ist. An den noch offenen Seiten die Nahtzugabe nach innen einschlagen und bügeln.

4. Falten legen und feststecken. Es sollen 3 Falten werden, die in die gleiche Richtung zeigen und sich nicht komplett überlappen, sondern leicht versetzt verlaufen. Wenn die Falten gelegt sind, sollte die Seite noch ca. 6–6,5 cm lang sein. Am besten die Falten bügeln.

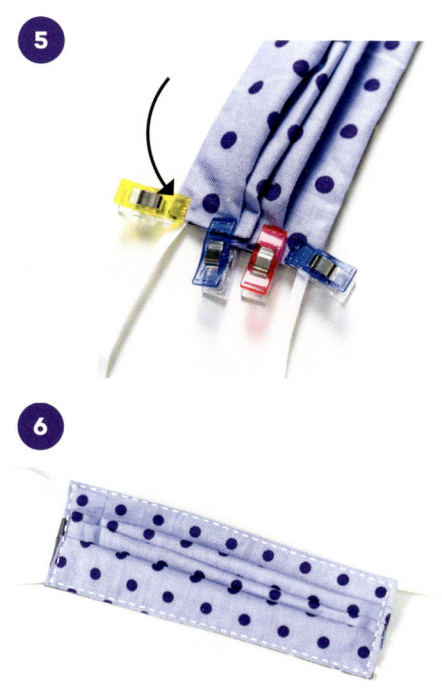

5. Schiebe die Gummibänder oder Bindebänder an allen 4 Ecken etwa 1 cm in die Maske hinein und stecke sie ebenfalls fest.

6. Rundherum absteppen. Nähe dazu um die ganze Maske herum knapp an der Kante entlang. Dabei werden die Bänder mit festgenäht. An den Bändern und an den Falten mehrmals vor und zurück drüber nähen, damit sie gut fest sind.

7. Nun ist die Maske fertig! Binde die Bänder paarweise oben und unten hinter dem Kopf, oder verknote die Gummibänder, um sie um die Ohren zu hängen.

Die Video-Anleitung findest du bei Youtube auf dem Nähfrosch-Kanal oder direkt über diesen **QR-Code**:

Maske T-SHIRT-ÄRMEL

Aus einem aussortierten kurzärmeligen Shirt kannst du im Handumdrehen deine eigene Maske basteln – ganz ohne Nähen. Aus dem Ärmel wird der doppellagige Maskenkörper und aus dem Shirt selbst kannst du die Bindebänder schneiden.

MATERIAL

→ **Kurzärmeliges Herren- oder Damen-T-Shirt aus dehnbarem Stoff**

→ **2 x je ca. 50–60 cm Band aus fertigem Textilgarn oder aus dem T-Shirt selbst geschnitten**

So geht's

1

2

3

4

1. Trenne vorsichtig einen Ärmel entlang der Naht ab.

2. Falte den Ärmel so, dass die Naht in der Mitte liegt.

3. Mache an beiden Seiten einige Einschnitte, durch die später das Band gefädelt wird. Je nach Ärmellänge und Form sind etwa 3–5 Einschnitte sinnvoll. Beachte: Abstand zum seitlichen Rand ca. 1 cm, ebenso sollte zum oberen und unteren Rand ein Abstand von ca. 1 cm bestehen bleiben. Der Abstand zwischen den Einschnitten sollte ca. 2–3 cm betragen.

4. Fädle nun auf jeder Seite eines der Bänder durch die Einschnitte.

Einfädelhilfe!
Du verwendest am besten eine größere Sicherheitsnadel, die du am Anfang des Bandes befestigst und schiebst diese durch die Löcher.

5

Wenn du das Band selbst herstellen möchtest, lege das Shirt gerade vor dich hin und schneide die untere Saumnaht ab, die brauchst du nicht. Nun schneide nacheinander zwei jeweils ca. 2 cm breite Streifen ringsherum ab. Schneide jeweils den Streifenring auf, so dass du ein Band erhältst und ziehe kräftig daran, damit es sich einrollt. Fertig ist dein Bindeband!

5. Nun ist die Maske fertig zum Anziehen. Binde dazu die Bänder oben zusammen, und stülpe sie dir über den Kopf. Halte die Maske vor Mund und Nase, ziehe an den beiden unteren Bändern und binde diese dann hinter deinem Kopf.

Maske SHIRT-ÄRMEL

Ein langärmeliges Shirt ist ruckzuck zu einer doppellagigen Behelfs-Maske upgecycelt. Für dieses Modell brauchst du noch nicht einmal Bindebänder!

Funktioniert auch mit einer Leggings!

So geht's

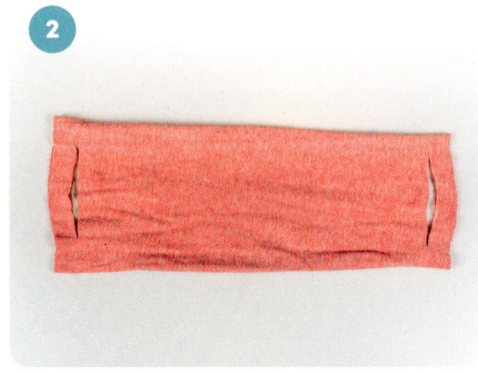

1. Schneide das Bündchen oder den Saum des Ärmels gerade ab. Schneide dann ein Stück des Ärmels heraus, lieber erst mal länger als zu kurz.

2. Schneide nun an beiden Seiten durch beide Stofflagen hindurch je einen Schlitz. Zum oberen und unteren Rand sollten ca. 2–3 cm Stoff stehen bleiben, zum seitlichen Rand ca. 1 cm Abstand halten.

Mache nun eine Anprobe! Lege dir die Maske vor Mund und Nase und halte sie mit einer Hand dort fest. Fasse nun eine Seite der Maske, drehe sie einmal ein und hänge sie am Schlitz über dein Ohr. Auf der anderen Seite ebenfalls einmal eindrehen und übers Ohr hängen. Ist die Maske zu lang? Dann kannst du sie seitlich ein Stück kürzen und einen neuen Schlitz für dein Ohr einschneiden.

Maske
SNEAKER-SOCKE

Kaum zu glauben, aber aus einer gewöhnlichen Sneaker-Socke lässt sich mit wenigen Scherenschnitten eine einlagige Maske herstellen! Dabei bildet die Ausbuchtung für die Ferse die Rundung über Mund und Nase.

MATERIAL

→ **Eine Sneaker-Socke, ohne Mesh-Einsätze.**

Du kannst die Größe deiner Maske ganz einfach anpassen, indem du eine kleinere oder größere Socke wählst.

So geht's

1

3

2

4

1. Lege die Socke glatt vor dich hin. Falte das Bündchen der Socke so herüber, dass die Ausbuchtung der Ferse genau halbiert wird. So stellst du sicher, dass deine Maske symmetrisch wird.

2. Schneide den vorderen Teil der Socke ab.

3. Falte die Socke wieder auf und schneide sie entlang des Fußrückens auf. Die Ferse bleibt intakt.

4. Klappe nun die Socke auf. Das Bündchen wird die Oberkante deiner Maske.

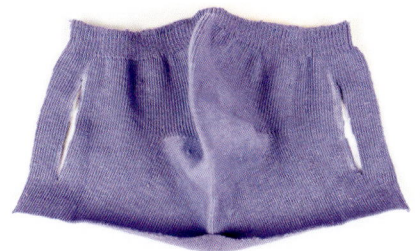

Da eine Maske aus einer Sneaker-Socke nicht so langlebig ist, lohnt es sich diese direkt im Sparpack zu besorgen.

5. Schneide nun an beiden Seiten je einen Schlitz. Zum oberen und unteren Rand sollte ca. 1cm Stoff stehen bleiben, zum seitlichen Rand ebenfalls ca. 1cm Abstand halten.

6. Schon ist die Maske fertig zum Anziehen! Auf beiden Seiten wird das Ohr durch den Schlitz gesteckt.

Über die Autorin

Nähfrosch startete im Sommer 2013 als kleines Näh-Tagebuch einer frisch gebackenen Mama. Katja, Jahrgang 1985 und eigentlich diplomierte Mathematikerin, entdeckte recht plötzlich ihre Leidenschaft fürs Nähen, indem sie von einer Freundin an die Nähmaschine genötigt wurde. Einen kompletten Tag verbrachte sie damit, eine Babymütze zu nähen! Am nächsten Tag entführte Katja die Nähmaschine ihrer Mutter auf Nimmerwiedersehen und gründete ganz spontan den Blog Nähfrosch, um ihre Werke, auf die sie so stolz war, mit der Nähwelt zu teilen.

Inzwischen ist Nähfrosch kein Ein-Frau-Näh-Tagebuch mehr, sondern ein Online Magazin, und hinter Katja steht ein ganzes Team, zu dem auch ihr Mann Stefan gehört, mit dem sie zusammen mit den beiden Kindern Sophia und Alexander im Rhein-Main-Gebiet lebt.

Das Thema Masken Nähen griff Katja früh in der Corona-Krise auf und stellte einfache Nähanleitungen zur Verfügung. Die *Maske Halbrund* wurde schnell das beliebteste Schnittmuster in Deutschland und wird unter anderem auf den Webseiten des Landes Baden-Württemberg oder der Stadt Köln empfohlen. Sogar die Zeitschrift Bravo Girl wurde auf die Nähfrosch-Maske aufmerksam, neben Radiosendern und Tageszeitungen in Deutschland und Österreich.

WERDE TEIL...

... der Nähfrosch-Community

Sei auch du Teil der Nähfrosch-Community! Für den Austausch unter Gleichgesinnten gibt es die Facebook Gruppe „Nähfrosch-Community". Hier kannst du deine Nähfrosch-Kreationen zeigen und dich inspirieren lassen. Doch die Nähfrosch-Community geht über eine reine Nähgruppe weit hinaus: Persönliche Reiseerfahrungen, Tipps und Tricks und eine rege Kommunikation erwarten dich!

Danksagung

Ich danke euch!

Euch allen, die ihr bei diesem – in jeder Weise besonderen – Buch an meiner Seite standet und an mich geglaubt habt. Viele wirken im Hintergrund mit und sorgen mit allerlei Kleinigkeiten und Alltäglichem dafür, dass so ein Buchautor nicht völlig die Nerven verliert.

Ich danke dir Stefan, meinem Mann, dass du für dieses kurzfristige Projekt alle Hebel in Bewegung gesetzt hast, um mir Arbeitszeit freizuschaufeln. Außerdem bist du für all die gelungenen Fotos im Buch verantwortlich und hast für den geraden Sitz aller Masken gesorgt.

Meinen Kindern danke ich, dass sie in der Entstehungszeit des Buches nicht die komplette Bude auseinandergenommen haben. Was nicht ist, kann ja noch werden und ihr arbeitet beide hart daran, dass uns auch in Zeiten von Corona nicht langweilig wird.

Mein Dank gilt Gisela, die als Tante Gisi den wunderbar „nähfroschigen" Masken-Panel-Stoff entworfen hat. Ebenso danke ich Lillestoff für das recht spontane Produzieren des Stoffes.

Natürlich danke ich auch dem EMF-Verlag für das in mich gesetzte Vertrauen bei diesem speziellen Buchprojekt und im Besonderen Isabella für das gelungene Projektmanagement und die vielen (unterhaltsamen) Telefonate.

Zuletzt möchte ich dir danken, lieber Leser. Danke, dass du dich mit dem Thema Masken auseinandersetzt. Danke, dass du mit deiner Maske dein Umfeld schützt. Ich wünsche uns allen viel Gesundheit!

QUELLENVERZEICHNIS:

Robert Koch-Institut: www.rki.de/SharedDocs/FAQ/NCOV2019/FAQ_Mund_Nasen_Schutz.html
Bundesinstitut für Arzneimittel und Medizinprodukte: www.bfarm.de

Impressum

Bibliografische Information der Deutschen Bibliothek.

Die Deutsche Bibliothek verzeichnet diese Publikation in der Deutschen Nationalbibliografie.

Detaillierte bibliografische Daten sind im Internet über http://www.dnb.de/ abrufbar.

EIN BUCH DER EDITION MICHAEL FISCHER

1. Auflage 2020

© 2020 Edition Michael Fischer GmbH, Donnersbergstr. 7, 86859 Igling

Projektmanagement und Lektorat: Isabella Krüger
Covergestaltung, Layout und Satz: Luca Feigs
Maskenschnitte: Katja Czajkowski
Bilder: © Stefan Czajkowski, Münster (Hessen)

Illustrationen: © spiral media / Shutterstock (S. 10, 18), elenabsl / Shutterstock (S. 12–13, 16–17), Angelina Bambina / Shutterstock (S. 15), Rvector / Shutterstock (S. 20), davooda / Shutterstock (S. 21), Tante Gisi / Lillestoff (S. 25)

ISBN 978-3-96093-654-1

Gedruckt bei Polygraf Print, Čapajevova 44, 08001 Prešov, Slowakei

www.emf-verlag.de